國家圖書館出版品預行編目 (CIP) 資料

大家一起鋪鐵軌/竹下文子文;鈴木守圖
;王蘊潔譯. -- 第二版. -- 臺北市:親子天
下股份有限公司, 2023.08
　　面;24*23公分. -- (繪本;330)
國語注音
譯自:せんろはつづく
ISBN 978-626-305-528-5(精裝)

1.SHTB: 圖畫故事書--3-6歲幼兒讀物

861.599　　　　　　　　　112009494

繪本 0330

大家一起鋪鐵軌

作者｜竹下文子　繪者｜鈴木守　譯者｜王蘊潔
責任編輯｜陳婕瑜　美術設計｜陳珮甄

發行人｜殷允芃　創辦人兼執行長｜何琦瑜
總經理｜游玉雪　副總經理｜林彥傑　總編輯｜林欣靜
研發總監｜黃雅妮　行銷總監｜林育菁　版權主任｜何晨瑋、黃微真

出版者｜親子天下股份有限公司
地址｜台北市 104 建國北路一段 96 號 4 樓
電話｜(02)2509-2800 傳真｜(02)2509-2462
網址｜www.parenting.com.tw
讀者服務專線｜(02)2662-0332　週一～週五：09:00~17:30
讀者服務傳真｜(02)2662-6048　客服信箱｜bill@service.cw.com.tw
法律顧問｜台英國際商務法律事務所‧羅明通律師
製版印刷廠｜中原造像股份有限公司
總經銷｜大和圖書有限公司 電話：(02)8990-2588

出版日期｜2009 年 7 月第一版第一次印行
　　　　　2023 年 8 月第二版第一次印行
定價｜300 元　書號｜BKKP0330P　ISBN｜978-626-305-528-5（精裝）

──────────── 訂購服務 ────────────
親子天下 Shopping｜shopping.parenting.com.tw
海外‧大量訂購｜parenting@service.cw.com.tw
書香花園｜台北市建國北路二段 6 巷 11 號
電話：(02) 2506-1635　劃撥帳號｜50331356

立即購買 >

有聲故事書

大家一起鋪鐵軌

文·竹下文子　圖·鈴木守　譯·王蘊潔

這是什麼？

是ㄕˋ鐵ㄊㄧㄝˇ軌ㄍㄨㄟˇ。

鐵軌和鐵軌連起來，
哇，變長了。

更多更多的鐵軌連起來、連起來，
哇，變得好長好長。

鐵軌向前鋪，
向前鋪啊鋪。
我們在原野中央，
向前鋪鐵軌。

前面有座山，
過不去，
怎麼辦呢？

那就挖一個洞，
哈，隧道完成了！

前面有條河，
過不去，
怎麼辦呢？

那就架一座橋，
哈，鐵橋完成了！

前面有條路，
過不去，
怎麼辦呢？

那就裝一道柵欄，
哈，平交道完成了！

前面有個大池塘，過不去，
怎麼辦呢？

那就繞過去吧！

對面的鐵軌、
這邊的鐵軌，
要連起來了、
要連起來了……

連好了！
在這裡造一個車站吧。

嘟ㄉㄨ嘟ㄉㄨ！
來ㄌㄞ了ㄌㄜ、來ㄌㄞ了ㄌㄜ，
火ㄏㄨㄛ車ㄔㄜ來ㄌㄞ了ㄌㄜ！

火車載著大家跑，
在鐵軌上跑啊跑。

鐵軌向前鋪，
向前鋪啊鋪。

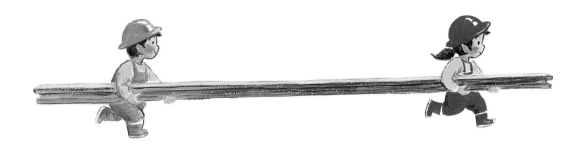

作者　竹下文子

一九五七年出生於日本福岡縣，畢業於東京學藝大學。主要作品有《獅子生日》、《歡迎來到月夜》、《抱抱我》、《餅乾王》等。和畫家鈴木守合作的作品有《大家一起鋪鐵軌》、《大家一起搭積木》、《大家一起來畫畫》、《大家一起做料理》、《企鵝冰箱》、【管家貓】系列、《公車來了》、【黑貓五郎】系列、《小薰和他的朋友》等。

繪者　鈴木守

一九五二年出生於東京。畫家、繪本作家、鳥巢研究家。主要繪本作品有《大家一起鋪鐵軌》、《大家一起搭積木》、《大家一起來畫畫》、《大家一起做料理》、《小小火車向前跑》、《小小火車變變變》、【ㄅㄨㄅㄨ，車子來了】系列、《鳥巢大追蹤》、《我的山居鳥日記》、《鳥巢之歌》等。熱衷於日本各地舉辦鳥巢展覽。